O'r tir
Byw yn y wlad

Dewch i weld sut mae pobl yn byw yng *nghefn gwlad gogledd* Cymru.

Byddwn ni'n edrych ar:
- *ffermio* ddoe a heddiw
- *marchnadoedd* a *ffeiriau*
- *bwydydd* a *nwyddau*
- *penillion*

ac yn cyfarfod pobl arbennig.

cefn gwlad – *the countryside*
gogledd – *north*
ffermio – *farming*
marchnadoedd – *markets* (un. marchnad b)
ffeiriau – *fairs* (un. ffair b)
bwydydd – *foods* (un. bwyd g)
nwyddau – *goods, produce*
penillion – *verses* (un. pennill g)

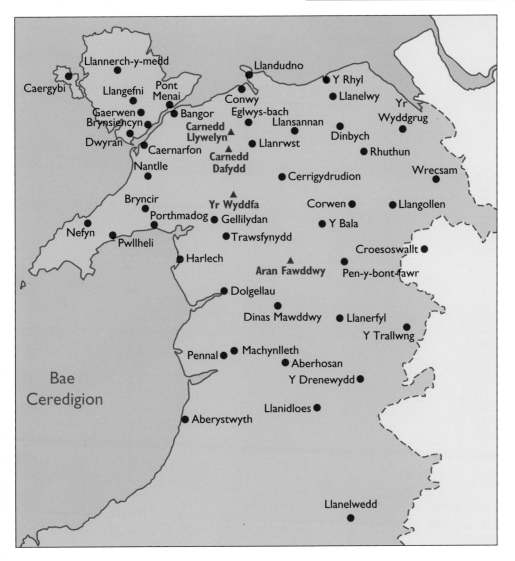

Ffermio ddoe a heddiw

Mae ffermio'n bwysig iawn i Gymru.
Mae *tua* 31,500 o *ffermydd* yng
Nghymru. Mae ffermydd mewn
dyffrynnoedd a hefyd yn y
mynyddoedd. Ffermydd bach
ydyn nhw fel arfer. Ar
ffermydd Cymru mae tua:
• 9.3 miliwn o *ddefaid* ac *ŵyn*
• 6.1 miliwn o *ieir* neu
  ddofednod
• 281,000 o *wartheg godro*
• 223,000 o *wartheg tew*
• 25,000 o *foch*

• *casglu* wyau
• *bwydo anifeiliaid*
• helpu wrth symud
  anifeiliaid

Mae *gwragedd* fferm
yn gwneud popeth –
o yrru tractor i
odro'r gwartheg. Yn
aml, mae gwragedd
fferm yn rhedeg eu
busnes eu hunain. Mi
fyddwn ni'n gweld *hyn*
yn y llyfr hwn.

Mi wnaeth ffermio newid llawer yn yr
ugeinfed ganrif. Heddiw, mae *peiriannau*'n
gwneud llawer o'r gwaith. Does dim
cymaint o bobl yn gweithio ar ffermydd.
Ond mae ffermio'n bwysig iawn i *economi
cefn gwlad* Cymru *o hyd*. Mae tua 56,000
o bobl yn gweithio ar ffermydd yng
Nghymru.
Fel arfer, mae'r teulu *i gyd* yn helpu efo'r
gwaith ar y fferm. Mae'r plant yn gwneud
pethau fel:

Siawns am sgwrs?

Dach chi'n byw ar
fferm? Pa anifeiliaid
sy ar y
fferm?

Dach chi'n hoffi
anifeiliaid?

---

tua – *about*
ffermydd – *farms* (un. fferm b)
dyffrynnoedd – *valleys* (un. dyffryn g)
defaid – *sheep* (un. dafad b)
ŵyn – *lambs* (un. oen g)
ieir – *hens* (un. iâr b)
dofednod – *poultry*
gwartheg godro – *milking cows*
gwartheg tew – *cattle*
moch – *pigs* (un. mochyn g)
ugeinfed ganrif – *twentieth century*

peiriannau – *machinery* (un. peiriant g)
cymaint – *so many/so much*
economi cefn gwlad – *rural economy*
o hyd – *still*
i gyd – *all*
casglu – *to gather*
bwydo – *to feed*
anifeiliaid – *animals* (un. anifail g)
gwragedd – *wives* (un. gwraig b)
eu busnes eu hunain – *their own business*
hyn – *this* (abstract g)

Bridiau anifeiliaid fferm o Gymru

Mae *bridiau* anifeiliaid fferm arbennig o Gymru, fel gwartheg *duon Cymreig*, defaid mynydd Cymreig a *cheffylau* fel y cob Cymreig a *merlod* mynydd Cymreig.

Mae'r gwartheg duon Cymreig wedi bod yng Nghymru *ers cyfnod y Rhufeiniaid*. Roedd *porthmyn* yn gyrru'r gwartheg duon i Loegr *ers talwm*. Ddau *gan mlynedd* yn ôl, roedd 6,000 o wartheg o *Benrhyn Llŷn*, 10,000 o Sir Fôn a 30,000 o'r *canolbarth* yn gadael Cymru bob blwyddyn. Llawer o wartheg a llawer o sŵn!

Mae gwartheg *gwynion* enwog yng Nghymru hefyd. Dach chi'n medru gweld gwartheg gwynion ym mharc *Yr Ymddiriedolaeth Genedlaethol* yn Ninefwr, Llandeilo.

Mae'r cob Cymreig yn enwog dros *y byd*. Mae *Cymdeithas y Merlod* a'r Cobiau Cymreig yn gofalu am y brîd. Ers talwm, roedd y cob yn geffyl *defnyddiol* i wneud gwaith fferm a thynnu trap.

Ar fynyddoedd a *bryniau* Cymru *yn unig* mae merlod mynydd Cymreig yn byw. Maen nhw'n hen frîd. Yn Eryri, mae tua 200 o ferlod yn byw ar fynyddoedd y Carneddau. Maen nhw'n byw yn *rhydd* ond mae ffermwyr yn eu *casglu at ei gilydd* yn y gwanwyn.

bridiau – *breeds* (un. brîd g)	y canolbarth – *Mid Wales*
duon – *black* (pl. form of du)	gwynion – *white* (pl. form of gwyn)
Cymreig – *Welsh* (other than language)	Yr Ymddiriedolaeth Genedlaethol – *The National Trust*
ceffylau – *horses* (un. ceffyl g)	y byd – *the world*
merlod – *ponies* (un. merlyn g / merlen b)	Cymdeithas y Merlod – *Pony Society*
ers – *since*	defnyddiol – *useful*
cyfnod y Rhufeiniaid – *Roman times*	bryniau – *hills* (un. bryn g)
porthmyn – *drovers* (un. porthmon g)	yn unig – *only*
ers talwm – *in the past*	rhydd – *free*
can mlynedd – *a hundred years*	casglu at ei gilydd – *to herd together*
Penrhyn Llŷn – *Lleyn Peninsular*	

Marchnadoedd

Mae marchnadoedd anifeiliaid yn digwydd bob mis yng ngogledd Cymru. Mae marchnadoedd prynu a gwerthu anifeiliaid ym Mryncir, *Llanelwy*, Gaerwen, *Croesoswallt*, Y Bala, Rhuthun, *Y Trallwng*, Dolgellau, Llanrwst, Corwen a'r *Wyddgrug*.

Ers talwm roedd ffermwyr yn gyrru anifeiliaid drwy strydoedd y dre ar ddiwrnod marchnad.

Mae marchnadoedd bwyd a nwyddau mewn trefi fel Caernarfon, Conwy, Dinbych, Llangefni, Llanrwst, Pwllheli, Rhuthun a Wrecsam.

Ers talwm, roedd gwraig y fferm yn mynd â'r wyau a'r dofednod (ieir, *gwyddau* a *thwrcwn*) i'r farchnad yn y dre bob wythnos. Mae hen gardiau post yn dangos hyn.

Llanelwy – *St Asaph*	Yr Wyddgrug – *Mold*
Croesoswallt – *Oswestry*	gwyddau – *geese* (un. gwydd b)
Y Trallwng – *Welshpool*	twrcwn – *turkeys* (un. twrci g)

Siawns am sgwrs?

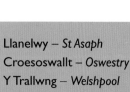

Dach chi'n mynd i farchnad i siopa bwyd?

Ydy'r marchnadoedd wedi newid?

Ffeiriau

Ers talwm, roedd ffeiriau i werthu anifeiliaid *arbennig*, ffair geffylau neu ffair wartheg. Roedd *gweithwyr* fferm yn mynd i ffeiriau *cyflogi* bob blwyddyn ar *Galan Mai*.

Dyma hanes *gwas* fferm o *Sir Benfro*. Roedd o yn *Ffair Penfro* efo'i dad yn 1906.

" Mi ddaeth ffermwr draw. Roedd o isio fy nghyflogi i. Mi wnaeth o ofyn i mi: 'Wyt ti'n medru gyrru ceffylau?' Mi wnaeth fy nhad ateb: 'Nac ydy, ond mi fydd o'n medru dysgu.' Felly mi ges i £14 am 12 mis yn gweithio ar y fferm. "

arbennig – *particular*
gweithwyr – *workers* (un. gweithiwr g)
cyflogi – *to employ*
Calan Mai – *May Day*
gwas (g) – *servant*
Sir Benfro – *Pembrokeshire*
Ffair Penfro – *Pembroke Fair*

Sioeau Amaethyddol

Mae sioeau *amaethyddol* yn *boblogaidd* iawn. Mae ffermwyr yn medru:

* *dangos* anifeiliaid
* *cystadlu*: *cneifio*, codi waliau sych
* gweld peiriannau newydd
* *cymdeithasu*.

Mae'r cyhoedd yn hoffi mynd i sioeau amaethyddol hefyd. Maen nhw'n medru:

* gweld yr anifeiliaid
* cystadlu – *cystadlaethau* coginio, gwaith crefft, llysiau a blodau
* prynu mewn *stondinau*
* gweld *arddangosfeydd*.

Siawns am sgwrs?

Dach chi wedi bod mewn sioe amaethyddol? Be' wnaethoch chi weld?

Mae llawer o sioeau'n digwydd yng ngogledd Cymru. Dach chi'n medru mynd i sioe bob penwythnos, *bron*, yn yr haf!

- mis Mai – Sioe Nefyn
- mis Mehefin – Sioe Dyffryn Ogwen
- mis Gorffennaf – Sioe Amaethyddol Gogledd Cymru (yng Nghaernarfon)
- mis Awst – Sioe Môn, Sioe Eglwys-bach, Sioe Aberhosan, Sioe Llanrwst, Sioe Meirionnydd, Sioe Dinas Mawddwy, Sioe Pennal, Sioe Llansannan

- mis Medi – Sioe Cerrigydrudion, Sioe Trawsfynydd
- mis Tachwedd – Sioe *Aeaf* Môn

Y sioe fawr yng Nghymru yw'r Sioe *Frenhinol* yn Llanelwedd. Mae hi'n digwydd ym mis Gorffennaf. Mae dau gan mil o bobl yn ymweld â'r Sioe bob blwyddyn. Mae Sioe Aeaf Llanelwedd ym mis Tachwedd hefyd yn boblogaidd.

amaethyddol – *agricultural*
poblogaidd – *popular*
dangos – *to show, to exhibit*
cystadlu – *to compete*
cneifio – *to shear*
cymdeithasu – *to socialise*
cystadlaethau – *competitions* (un. cystadleuaeth b)
crefft (b) – *craft*
stondinau – *stalls* (un. stondin g/b)
arddangosfeydd – *exhibitions* (un. arddangosfa b)
bron – *almost*
gaeaf (g) – *winter*
Brenhinol – *Royal*

Ffermwyr Ifainc

Mae'r Ffermwyr *Ifainc* yn boblogaidd iawn yng Nghymru.

• 170 clwb

• 6,000 o aelodau rhwng 10 a 26 oed

Does dim rhaid i chi fyw ar fferm i fod yn aelod!

Mae Clwb Ffermwyr Ifainc Cymru (CFfI) yn *cynnal yr unig* eisteddfod genedlaethol *ddwyieithog* yng Nghymru. Mae'r aelodau'n cystadlu mewn *rowndiau rhanbarthol* cyn mynd i'r eisteddfod genedlaethol. Mae cystadlaethau i *unigolion* a grwpiau. Mae llawer o gystadlaethau *hwyliog* fel '*y ddeuawd ddoniol*'. Mae aelodau'r clwb yn medru teithio dros *y DU*, *Iwerddon* a'r byd.

Maen nhw'n dysgu am ffermio mewn *gwledydd* eraill, fel *yr Almaen*, Awstralia a Seland Newydd.

ifainc – *young* (pl. form of ifanc)	Iwerddon – *Ireland*
cynnal – *to hold*	gwledydd – *countries* (un. gwlad b)
yr unig – *the only*	yr Almaen – *Germany*
dwyieithog – *bilingual*	sir (b) – *county*
rowndiau rhanbarthol – *regional rounds*	tynnu rhaff – *tug of war*
unigolion – *individuals* (un. unigolyn g)	enillwyr – *winners* (un. enillydd g)
hwyliog – *full of fun*	brenhines (b) – *queen*
y ddeuawd ddoniol – *humorous duet*	ieuenctid (g) – *youth*
y DU – *the United Kingdom*	adloniant (g) – *recreation*

Ym mis Mai, mae pob *sir* yn cynnal rali. Yn y rali mae cystadlaethau fel coginio, crefftau, dawnsio a *thynnu rhaff*. Mae'r *enillwyr* yn mynd ymlaen i'r Sioe Frenhinol.

Mae cystadleuaeth 'Brenhines y Rali' hefyd a'r Frenhines yn mynd ymlaen i'r Sioe Frenhinol.

Mae CFfI yn cynnal Pentref *Ieuenctid* yn y Sioe Frenhinol bob blwyddyn. Mae *adloniant* i 5,000 o bobl ifainc. Llawer o hwyl i bawb!

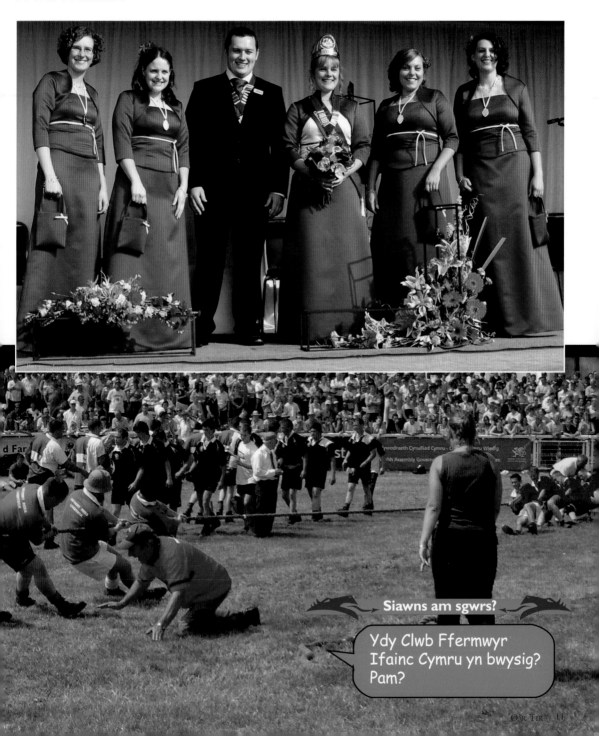

Siawns am sgwrs?

Ydy Clwb Ffermwyr Ifainc Cymru yn bwysig? Pam?

Bwydydd Ynys Môn

Mae Ynys Môn yn enwog am *gynhyrchu* bwyd. Ers talwm, roedd dros dri deg o *felinau* ar yr ynys yn gwneud *blawd*. Felly mi gafodd hi'r enw 'Môn Mam Cymru'.

Erbyn heddiw, mae un felin *ar ôl* – Melin Llynnon yn Llanddeusant. Mae plant ysgol yn medru mynd yno i weld sut mae hi'n gweithio. Maen nhw'n gweld sut mae'r *grawn* yn *troi*'n flawd.

Mae *popty lleol* yn defnyddio'r blawd i wneud bara *traddodiadol*. Maen nhw'n gwerthu'r bara mewn *achlysuron* arbennig.

Heddiw, mae llawer o bobl yn cynhyrchu bwyd ar Ynys Môn. Dyma bedwar ohonyn nhw:

cynhyrchu – *to produce*
melinau – *mills* (un. melin b)
blawd (g) – *flour*
erbyn – *by*
ar ôl – *left*
grawn – *grain* (un. gronyn g)
troi – *to turn*
popty lleol – *local bakery*
traddodiadol – *traditional*
achlysuron – *occasions* (un. achlysur g)

1. Nerys Roberts – Popty'r Bryn

Mae Nerys Roberts yn rhedeg ei busnes, Popty'r Bryn, o'i chegin *arbennig* ar ffordd ym Mrynsiencyn, Sir Fôn.

❝ *Sut wnaethoch chi ddechrau?*

Dw i'n hoffi coginio ac mae gen i lawer o *rysetiau* o'r teulu. Mi wnes i ddechrau'r busnes fel hobi yn 1999. Roedd y plant yn fach ac roedd gweithio gartref yn *gyfleus*.

Mae eich taffi triog wedi ennill gwobr aur gan yr Urdd Bwyd Godidog. (Guild of Fine Food)

Ydy, mi ges i'r rysáit gan fy nain. Mae'r taffi triog yn gwerthu'n dda iawn.

Be' arall dach chi'n goginio?

Dw i'n coginio llawer o bethau eraill:
* *teisennau* ffrwythau
* bara brith
* bisgedi
* *torthau ceirch*

Dw i'n hoffi defnyddio *cynnyrch lleol*. Mae hi'n *amhosibl* cael popeth yn lleol. Dw i'n gwneud *fy ngorau glas*, ond does dim siwgr o Ynys Môn, wrth gwrs!

Be' ydy'r cam nesaf?

Dw i'n mynd i symud i *adeilad* arall ar y fferm.

Mae angen *rhagor* o le, mae'r busnes yn tyfu. Mae gen i un *aelod* o staff *rhan-amser* rŵan ond mi fydd isio rhagor o staff, gobeithio.

Lle dach chi'n gwerthu'r cynnyrch?

Mae Popty'r Bryn yn *cyflenwi* siopau *annibynnol* yng ngogledd Cymru, siopau Spar, yr Ymddiriedolaeth Genedlaethol a siop Edinburgh Woollen Mill yn Llanfairpwll. Mae llawer o *unigolion* yn ffonio hefyd, felly dw i'n *ystyried* agor siop ar y we. ❞

arbennig – *special*	fy ngorau glas – *my very best*
rysetiau – *recipes* (un. rysáit g)	y cam nesaf – *the next step*
cyfleus – *convenient*	adeilad (g) – *building*
taffi triog (g) – *treacle toffee*	rhagor – *more*
gwobr aur (b) – *gold award*	aelod (g) – *member*
teisennau – *cakes* (un. teisen b)	rhan-amser – *part time*
torthau – *loaves* (un. torth b)	cyflenwi – *to supply*
ceirch – *oats*	annibynnol – *independent*
cynnyrch lleol (g) – *local produce*	unigolion – *individuals* (un. unigolyn g)
amhosibl – *impossible*	ystyried – *to consider*

2. Caws 'Gorau Glas'

Caws glas ydy 'Gorau Glas'. Mae'r enw'n dod o'r idiom Gymraeg 'gwneud eich gorau glas'. Mae Margaret a Richard Davies yn gwneud y caws ar eu fferm yn Nwyran, Ynys Môn. Maen nhw'n defnyddio llefrith eu *buches* nhw.

Rhaid i bob *cosyn* fod yn berffaith, ac mae'n cymryd amser i wneud caws da. Dan ni hefyd yn pacio *â llaw*. Mae popeth yn cymryd amser.

Sut wnaethoch chi ddechrau, Margaret?

Yn 2001 mi es i ar gwrs gwneud caws yng Ngholeg Menai. Mi wnes i ddysgu gwneud pob *math* o gaws i gychwyn. Wedyn, mi wnes i gwrs arall i ddysgu gwneud caws *meddal*. Yn y diwedd, mi wnes i *ddatblygu* caws glas meddal.

A be' amdanoch chi, Richard?

Ar y dechrau, do'n i ddim yn hoffi caws glas *o gwbl*. Ond dw i wrth fy modd rŵan. Dan ni ddim yn ei fwyta fo bob dydd, wrth gwrs. Dan ni'n hoffi gwneud salad efo *darnau* o gaws glas a ffrwythau.

Lle dach chi'n gwerthu'r caws?

Dros y blynyddoedd, mae'r caws wedi ennill llawer o *wobrau* pwysig. Ac mae'n gwerthu'n dda iawn yng ngogledd Cymru, ardal *Caer*, a rhai siopau yn ne Cymru. Mae *gwestai* mawr yn hoffi 'Gorau Glas'.

Adeg dydd *Santes Dwynwen*, dan ni'n gwneud caws *siâp calon*. Cafodd Siân Lloyd (dynes y tywydd) gaws Santes Dwynwen yn ei *neithior* priodas.

Does dim problem gwerthu 'Gorau Glas' o gwbl. Y broblem ydy hyn: mae *galw* mawr am y caws, a dim digon o amser i'w wneud!

buches (b) – *herd*
math – *kind of*
meddal – *soft*
datblygu – *to develop*
amdanoch chi – *about you*
o gwbl – *at all*
darnau – *pieces* (un. darn g)
gwobrau – *awards* (un. gwobr b)
Caer – *Chester*
gwestai – *hotels* (un. gwesty g)
cosyn (g) – *a cheese*
â llaw – *by hand*
Santes Dwynwen – *Welsh patron saint of lovers*
siâp calon – *in the shape of a heart*
neithior (g/b) – *wedding feast*
galw (g) – *demand*

Pam mae'r cig yn arbennig?

Mae'r anifeiliaid i gyd yn dod o'r fferm. Mae'r caeau yn llawn *meillion*, felly mae'r cig yn *fwy* blasus. Dan ni'n defnyddio *lladd-dai* lleol, felly dydy'r anifeiliaid ddim yn teithio'n bell. Dan ni'n hongian y cig eidion am dair wythnos, ar yr *asgwrn*. Dan ni'n gwerthu'r cig i gyd yn ffres felly dach chi'n medru ei *rewi* fo gartref. Mae gynnon ni ddau *gigydd* gwych yn gweithio yma ar y fferm.

Be' dach chi'n fwynhau am eich gwaith?

Dan ni'n hoffi siarad â'r *cwsmeriaid* yn y marchnadoedd. Mae llawer fel ffrindiau i ni! Mae'n braf gweld cwsmeriaid yn dod nôl i brynu wythnos ar ôl wythnos. **"**

Mae Ffiona a Brian Thomas yn rhedeg cwmni cig Beef Direct o'u fferm yn Llannerch-y-medd, Ynys Môn. Mi wnaethon nhw ddechrau'r cwmni yn 2000. Mae'r *cogydd*, Rick Stein, wedi *sôn am* y cwmni yn ei lyfr *Food Heroes of Britain*.

" *Pam wnaethoch chi ddechrau'r cwmni?*

Doedd yr *archfarchnadoedd* ddim yn rhoi pris *teg* i ffermwyr. Felly, mi wnaethon ni benderfynu gwerthu ein cig i'*r cyhoedd ein hunain*. Dan ni'n gwerthu dros y ffôn a'r we, ac mewn marchnadoedd ffermwyr yng ngogledd Cymru ac yn ardal *Lerpwl* a *Manceinion*. Mae pobl yn medru dod i'r fferm i brynu hefyd.

Sut mae'r busnes wedi mynd?

Dan ni'n *llwyddiannus* iawn. Roedd hi'n anodd *pan* ddaeth *clwy'r traed a'r genau* ond dan ni wedi dod dros hynny rŵan.

Pa gig dach chi'n werthu?

Cig *eidion* gwartheg duon Cymreig, cig dafad, cig oen a phorc.

cogydd (g)	– chef
sôn am	– to mention
archfarchnadoedd	– supermarkets
	(un. archfarchnad b)
teg	– fair
y cyhoedd (g)	– the public
ein hunain	– ourselves (un. ei hunan g/b)
Lerpwl	– Liverpool
Manceinion	– Manchester
llwyddiannus	– successful
pan	– when
clwy'r traed a'r genau	– foot and mouth disease
eidion (g)	– beef
meillion	– clover
mwy	– more
lladd-dai	– abattoirs (un. lladd-dy g)
asgwrn (g)	– bone
rhewi	– to freeze
cigydd (g)	– butcher
cwsmeriaid	– customers (un. cwsmer g)

4. Olew Calon Lân

Mab fferm o Bwllheli ydy Geraint Hughes. Roedd o'n gweithio yn y Brifysgol ym Mangor. Rŵan, mae o wedi dechrau cwmni Bwyd Calon Lân ar Ynys Môn. Mae'r cwmni'n gwerthu *olew* coginio, *sawsiau* a 'pesto' mewn siopau ac ar y we. Ond hefyd mae'r cwmni'n edrych i'r *dyfodol*.

66 Oherwydd *newid hinsawdd*, mi fydd hi'n *fwy poeth* yng Nghymru yn y dyfodol. Felly, mi es i i'r Eidal i brynu coed *olewydd*:

Mi es i i *ardal* o'r Eidal lle mae hi'n oer yn y gaeaf ac yn boeth yn yr haf. Mi wnes i brynu 50 coeden olewydd yno. Wedyn, mi ddes i nôl i Ynys Môn. Dan ni wedi *plannu*'r coed yn ymyl *gwinllan* yng ngogledd yr ynys. Mi fydd y coed yn tyfu, gobeithio, ac yn rhoi olewydd i ni wneud olew yng Nghymru.

Mae coed olewydd yn byw *hyd at* 500 *mlwydd* oed, felly mi fydd yr olew yn *llifo* am *flynyddoedd*! 99

Geraint Hughes (ar y dde) a Dafydd Gruffydd, cyfarwyddwyr Calon Lân Cyf. gyda un o'r coed olewydd

olew (g) – *oil*
sawsiau – *sauces* (un. saws g)
dyfodol (g) – *future*
newid hinsawdd – *climate change*
fwy poeth – *hotter*
olewydd – *olive*
ardal (b) – *district*
plannu – *to plant*
gwinllan (b) – *vineyard*
hyd at – *up to*
blwydd – *years* (un. blwyddyn b)
llifo – *to flow*
blynyddoedd – *years* (un. blwyddyn b)
cyfarwyddwyr – *directors* (un. cyfarwyddwr g)
poeni am – *to worry about*

Siawns am sgwrs?

Be' dach chi'n feddwl o syniad Geraint?

Dach chi'n *poeni am* newid hinsawdd? Pam?

Penillion Cymraeg am ffermio

Mae'r penillion hyn gan y *bardd* Talhaiarn.
Yma, mae'r ffermwr yn *brolio* ei fferm:

> Mae gen i *drol* a cheffyl,
>> A merlyn bychan twt,
> A deg o ddefaid *tewion*
>> A mochyn yn y *cwt.*

> Mae gen i dŷ *cysurus,*
>> A melin newydd sbon,
> A thair o *wartheg blithion*
>> Yn *pori* ar *y fron.*

Dyma hen bennill Cymraeg am ieir a *cheiliogod:*

> Mae gen i iâr a cheiliog
>> *A brynais* ar ddydd Iau;
> Mae'r iâr yn *dodwy* wy bob dydd
>> A'r ceiliog yn dodwy dau.

Mae'r penillion hyn gan Nantlais. Maen nhw'n esbonio i blant o lle mae bara'n dod. Maen nhw'n aml yn cael eu canu mewn *gwasanaethau diolchgarwch.*

> Tu ôl i'r *dorth* mae'r blawd,
> Tu ôl i'r blawd mae'r felin;
> Tu ôl i'r felin draw ar y *bryn,*
> Mae cae o *wenith* melyn.

> Uwchben y cae mae'r haul,
> *Sy'n lliwio* pob *tywysen,*
> Uwchben yr haul mae'r *Duw* sy'n rhoi
> Y gwynt, y glaw a'r *heulwen.*

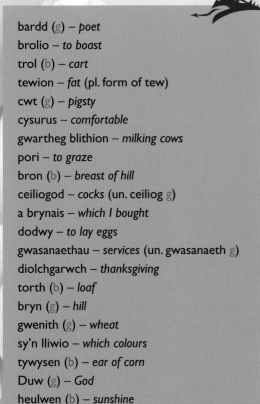

bardd (g) – *poet*
brolio – *to boast*
trol (b) – *cart*
tewion – *fat* (pl. form of tew)
cwt (g) – *pigsty*
cysurus – *comfortable*
gwartheg blithion – *milking cows*
pori – *to graze*
bron (b) – *breast of hill*
ceiliogod – *cocks* (un. ceiliog g)
a brynais – *which I bought*
dodwy – *to lay eggs*
gwasanaethau – *services* (un. gwasanaeth g)
diolchgarwch – *thanksgiving*
torth (b) – *loaf*
bryn (g) – *hill*
gwenith (g) – *wheat*
sy'n lliwio – *which colours*
tywysen (b) – *ear of corn*
Duw (g) – *God*
heulwen (b) – *sunshine*

Gwlân Cymru

Mae *miliynau* o ddefaid yng Nghymru. Felly mae llawer o *wlân*!

Ers talwm, roedd diwrnod *cneifio* yn ddiwrnod *cymdeithasol* iawn ar y fferm. Roedd *cymdogion* yn dod *at ei gilydd* i gneifio. Heddiw, does dim isio llawer o bobl i gneifio, mae peiriannau'n gwneud y gwaith. Ond mae'r Ffermwyr Ifainc yn cynnal cystadlaethau cneifio. Maen nhw'n gyffrous iawn!

Ers talwm roedd *diwydiant* gwlân pwysig mewn sawl ardal yng Nghymru, fel Dolgellau, y Bala a'r *Drenewydd*.

Roedd *gwlanen* o Ddolgellau yn mynd *i bedwar ban y byd*.

Roedd *gwau sanau* yn bwysig iawn yn ardal y Bala. Roedd pobl yn dod at ei gilydd mewn *nosweithiau* gwau. Roedd pawb yn gwau ac yn sgwrsio neu'n gwrando ar y *telynor* lleol.

Mi ddaeth *ffatrïoedd* gwlân yn bwysig yn y Drenewydd yn *nechrau'r 19eg ganrif*. 'The Leeds of Wales' oedd yr enw ar y Drenewydd. Roedd mil o weithwyr gwlân yn gweithio yno.

Heddiw, mae *Gŵyl Gwyrthwlân Cymru* (Wonderwool Wales Festival) yn digwydd yn y *gwanwyn* ar faes y Sioe Frenhinol yn Llanelwedd. Mae'r wyl yn *dathlu* gwlân Cymru. Dach chi'n medru gweld:

- nwyddau gwlân
- sioe ffasiwn o ddillad gwlân
- cneifio defaid
- defaid o bob brîd

miliynau – *millions* (un. miliwn b)

gwlân (g) – *wool*

cneifio – *to shear*

cymdeithasol – *social, sociable*

cymdogion – *neighbours* (un. cymydog g)

at ei gilydd – *together*

diwydiant (g) – *industry*

y Drenewydd – *Newtown*

gwlanen (b) – *flannel*

i bedwar ban y byd – *to the four corners of the earth*

gwau sanau – *to knit stockings*

nosweithiau – *evenings* (un. noswaith, noson b)

telynor (g) – *harpist*

ffatrïoedd – *factories* (un. ffatri b)

dechrau'r 19eg ganrif – *beginning of the 19th century*

gwanwyn (g) – *spring*

dathlu – *to celebrate*

Siawns am sgwrs?

Sut mae pethau wedi newid ar y fferm?

Mae pethau gwlân yn hen ffasiwn! Be' dach chi'n feddwl?

Y cynhaeaf

Mae adeg y *cynhaeaf* yn bwysig iawn ar y fferm. Mae'n digwydd ym mis Medi. Ystyr mis Medi ydy '*medi*'. Un *traddodiad* yng Nghymru oedd '*y gaseg fedi*'.
Roedd y *medelwyr* yn:

- *plethu*'r *darn* olaf o *ŷd* yn y cae – y gaseg fedi
- *sefyll* tua 15 metr i ffwrdd
- taflu *cryman* at y gaseg fedi, *yn eu tro*, i geisio torri'r gaseg.

Wedyn roedd yr *enillydd* yn cario'r gaseg fedi i'r *ffermdy*. Roedd swper y cynhaeaf yno. Ond roedd ei 'ffrindiau' yn ceisio *gwlychu*'r gaseg fedi. *Os* oedd y gaseg yn sych, roedd yr enillydd yn eistedd ym *mhen uchaf* y bwrdd. Ond os oedd y gaseg yn wlyb, roedd rhaid eistedd yn y pen *gwaelod*.

Yng *ngorllewin* Cymru roedd gweithwyr ar ddwy fferm yn ymyl ei gilydd yn hoffi rasio i fedi'r cynhaeaf.

Mae swper y cynhaeaf yn digwydd heddiw, fel arfer mewn capeli ac eglwysi.

cynhaeaf (g)	– harvest
medi	– to reap
traddodiad (g)	– tradition
y gaseg fedi (idiom)	– the last sheaf
medelwyr	– reapers (un. medelwr g)
plethu	– to plait
darn (g)	– bit
ŷd (g)	– wheat
sefyll	– to stand
cryman (g)	– sickle
yn eu tro	– in turn
enillydd (g)	– winner
ffermdy (g)	– farmhouse
gwlychu	– to wet
os	– if
pen uchaf	– top end
gwaelod	– bottom
gorllewin	– west

Mae'r Nadolig yn adeg brysur iawn ar y fferm – yn arbennig y ffermydd sy'n cadw dofednod. Mae llawer o waith *plufio* adar. Mae Myfanwy Williams, Tufton, Sir Benfro yn adrodd yr hanes fel roedd hi ers talwm:

" Roedd pawb yn brysur yn plufio *ganol* mis Rhagfyr. Roedd y gwaith yn galed – roedd rhaid plufio 200 o ieir a thyrcwn cyn y Nadolig. Ond roedd *cwmni* da, digon o hwyl a *gwydraid* o gwrw ar y llawr. Roedd y *plu*'n mynd i *bobman* – i'r gwallt ac i'r cwrw!

Roedd rhai ffermwyr yn gwneud cwrw cartref adeg y Nadolig. Roedd pobl yn mynd i *dai* ei gilydd i *brofi*'r cwrw. "

Siawns am sgwrs?

Dach chi wedi bod mewn swper cynhaeaf neu mewn gwasanaeth diolchgarwch?

plufio – *to feather*
ganol – *in the middle of*
cwmni (g) – *company*
gwydraid (g) – *a glass of*
plu – *feathers* (un. pluen b)
pobman – *everywhere*
tai – *houses* (un. tŷ g)
profi – *to taste*

Rhedeg dau fusnes

Mae Delyth Davies yn *ffermwraig* arbennig iawn. Mi wnaeth hi ennill gwobr 'Ffermwraig y Flwyddyn' yr NFU yn 2005. Mae hi'n ffermio ym Mhen-y-bont-fawr, gogledd Sir Drefaldwyn. Ar ôl i'w gŵr farw mewn *damwain* ar y fferm yn 2004, mae Delyth wedi bod yn rhedeg y busnes efo'i mab, Eifion. Fferm fynydd 700 *erw* ydy hi ac maen nhw'n cadw gwartheg a defaid. Digon o waith! Ond mae Delyth hefyd yn rhedeg Swyddfa'r Post yn y pentref. Dyma ddiwrnod Delyth:

" Dw i'n mynd i'r siop yn y bore. Mae'r papurau'n cyrraedd am chwarter i wyth ac mae'r siop yn agor am hanner awr wedi wyth.

Siop fach ydy hi, dan ni'n rhoi *gwasanaeth* pwysig i bobl leol.
Mae sawl teulu wedi symud yma o Loegr. Dw i'n hoffi dysgu ychydig o Gymraeg iddyn nhw! Hefyd, mae llawer o dwristiaid yn yr ardal – mae dau *faes carafannau* yma, ac mae'n braf sgwrsio â phobl o *ardaloedd* eraill.

Dw i'n cael cinio gartref ar y fferm. Wedyn, yn y prynhawn, dw i'n helpu Eifion y mab.

Mae'r gwaith ar y fferm yn *amrywio, yn dibynnu ar* y tymor. Yn y gwanwyn, *adeg wyna*, dw i'n medru helpu llawer. Mae'n chwe wythnos o waith caled. Ond adeg y cynhaeaf, dw i ddim yn gwneud cymaint. Dw i'n medru gyrru tractor, ond dw i ddim yn hoffi gwneud! Dw i'n gwneud y gwaith 'papur' ar y *cyfrifiadur*. Mae llawer o wragedd ffermydd yn helpu fel hyn.

Dw i'n mynd yn ôl i'r siop tua diwedd y prynhawn. Mae'r siop yn cau am chwech o'r gloch. Bob nos Fercher, rhaid i mi wneud *cyfrifon* y Swyddfa Bost, a dw i'n gorffen tua hanner awr wedi chwech.

Mae llawer o waith gen i efo'r ddau fusnes, ond dw i'n mwynhau. Mae gweithio ar y fferm ac yn y siop yn mynd yn dda efo'i gilydd. "

ffermwraig (b) – *farmer (female)*	
damwain (b) – *accident*	
erw (b) – *acre*	
gwasanaeth (g) – *service*	
maes carafannau (g) – *caravan park*	
ardaloedd – *parts, districts* (un. ardal b)	
amrywio – *to vary*	
yn dibynnu ar – *depending on*	
adeg wyna (b) – *lambing season*	
cyfrifiadur (g) – *computer*	
cyfrifon – *accounts* (un. cyfrif g)	
gyda'i gilydd – *together*	

Gwely a brecwast ar fferm

Mae llawer o ffermydd yn *cynnig* gwely a brecwast neu fflatiau gwyliau. Dach chi'n medru mwynhau cefn gwlad a chael *llety* da. Os ydy'r ffermwr neu'i wraig yn siarad Cymraeg, dach chi'n medru ymarfer eich Cymraeg hefyd!

Mae Fferm Tyddyn-du yng Ngellilydan, yn ymyl Porthmadog. Mae Paula a Meredydd Williams a'r teulu yn gwneud gwely a brecwast pum *seren* ers 1984.

Hefyd, dach chi'n medru *gwylio*'r ffermwr yn gweithio:
- cneifio
- gwneud *silwair*.

Mae croeso i *ymwelwyr* helpu (ychydig!) ar y fferm:
- casglu wyau
- rhoi bwyd a dŵr i'r anifeiliaid
- agor *cwt* yr *hwyaid* yn y bore.

Mae plant yn hoffi gweld yr anifeiliaid:
- defaid *dof* – maen nhw'n bwyta o'ch llaw chi!
- merlod bychan
- cŵn defaid *cyfeillgar*
- ieir a hwyaid.

Ond mae'n *dibynnu* pryd dach chi'n dod i'r fferm.

cynnig – *to offer*	gwylio – *to watch*
llety (g) - *accommodation*	silwair (g) – *sailage*
seren (b) – *star*	dof – *tame*
ymwelwyr – *visitors* (un. ymwelydd g)	cyfeillgar – *friendly*
cwt (g) – *shed, coop*	dibynnu – *to depend*
hwyaid – *ducks* (un. hwyaden b)	apelio – *to appeal*

Siawns am sgwrs?

Pam mae Delyth yn mwynhau rhedeg dau fusnes?

Ydy gwyliau ar fferm yn *apelio* atoch chi? Pam?

Ffermwr mynydd – Alun Elidyr

" *Lle dach chi'n ffermio, Alun?*

Dw i'n ffermio ar fferm y teulu ger Rhydymain, Dolgellau. Fferm fynydd ydy hi, yn ardal Aran Fawddwy. Mae gynnon ni 735 erw yn mynd i fyny i tua 3,000 troedfedd (900 metr). Mae fy mam yn ffermio hefyd. Mae hi'n 83 oed rŵan.

Mae ffens 2 filltir *o hyd* o gwmpas y *gwrychoedd*, felly dydy'r gwartheg a'r defaid ddim yn medru mynd at y coed.

Bob blwyddyn dan ni'n codi *o leiaf* 100 metr o waliau *cerrig*. Mae'r waliau'n rhoi *cysgod* i'r anifeiliaid. Mae *grug* ar 90 erw o'r tir uchel.

Dach chi wedi bod yn ffermio erioed?

Nac ydw. Actor o'n i. Ond mi wnaeth fy nhad farw yn 1997 ac mi ddes i nôl i ffermio. Dw i hefyd yn *cyflwyno*'r rhaglen *Ffermio* ar S4C.

Be' sy gynnoch chi ar y fferm?

Mae gynnon ni 650 o ddefaid mynydd Cymreig a 18 o wartheg duon Cymreig. Mae gynnon ni naw ci defaid hefyd i *gadw trefn* ar y defaid!

Mae gynnoch chi ddiddordeb mewn bywyd gwyllt hefyd.

Oes. Dan ni'n *rhan* o *gynllun amgylcheddol* Tir Gofal. Dan ni wedi gwneud sawl peth efo'r cynllun.

Dan ni wedi *plannu coedlan dderw* o 300 o goed. *O dan* goed derw mae'r *bioamrywiaeth* orau.

Hefyd, dan ni wedi plannu 10,000 o goed fel *gwrychoedd*.

erioed	– *ever, always*
cyflwyno	– *to present*
cadw trefn	– *to keep order*
rhan (b)	– *part*
cynllun amgylcheddol (g)	– *environmental plan*
plannu	– *to plant*
coedlan dderw (b)	– *oak coppice*
o dan	– *under*
bioamrywiaeth	– *biodiversity*
gorau	– *best* (da)
gwrychoedd	– *hedges* (un. gwrych g)
hyd	– *length*
o leiaf	– *at least*
cerrig	– *stones* (un. carreg b)
cysgod (g)	– *shelter*
grug	– *heather*

Mae llawer o *adar* yn dod nôl, fel y *grugiar ddu, cyffylog,* y *gylfinir* a'r *gïach.*

Mae tir y fferm ar *lan* afon Wnion. Mae gynnon ni bwll *magu* pysgod ar un o'r *caeau* fflat. Mae *Asiantaeth yr Amgylchedd* yn gofalu am y pwll. Mae 8,000 o *eogiaid* a sewin bach yno. Wedyn mi fyddan nhw'n mynd i'r afon ac i lawr i'r môr. Mi fyddan nhw'n dod nôl i'r afon eto i fagu, gobeithio.

Dach chi'n cadw bridiau arbennig o ddefaid a gwartheg?

Ydw, dw i'n cadw bridiau *addas* i'r tir *mynyddig:* defaid mynydd Cymreig – brîd *Sir Feirionnydd,* a gwartheg duon Cymreig.

adar – *birds* (un. aderyn g)
grugiar ddu (b) – *grouse*
cyffylog (g/b) – *woodcock*
gylfinir (g) – *curlew*
gïach (g) – *snipe*
glan (b) – *riverbank*
magu – *to breed*
caeau – *fields* (un. cae g)
Asiantaeth yr Amgylchedd – *The Environmental Agency*
eogiaid – *salmon* (un. eog g)
addas – *suitable*
mynyddig – *mountainous*
Sir Feirionnydd – *Merionethshire*

Be' sy'n braf am weithio ar fferm fynydd?

Dw i'n hoffi codi yn y bore, edrych ar y tywydd a phenderfynu be' i'w wneud. Mae pob dydd yn wahanol.

Dw i'n mwynhau gweld *cylchdro*'r flwyddyn a chylchdro bywyd – *genedigaeth*, gofalu am anifeiliaid, a'u gweld nhw'n tyfu. Ond yn y diwedd, dan ni'n eu magu nhw i'w lladd nhw, i gael bwyd.

Mae *bywyd cymunedol* arbennig yma – dan ni'n helpu *ein gilydd*, ac yn gwneud *ffafrau* i'n gilydd *yn lle* defnyddio arian.

Be' sy'n anodd am weithio ar fferm fynydd?

Dan ni allan ym mhob tywydd ac yn gweithio *oriau* hir.

Mae gwaith ffermwr mynydd yn medru bod yn unig. Mae'n hyfryd cwrdd â ffermwyr eraill yn y farchnad leol – Dolgellau.

Mae *colledion* yn digwydd ar ôl magu'r anifeiliaid.

Weithiau, dydy *gwleidyddion* a'r *cwsmeriaid* ddim yn *gwerthfawrogi* ein gwaith ni.

Mae pobl mewn swyddfa yn penderfynu polisi ond dyn nhw ddim yn deall yn iawn sut mae bywyd ffermwyr yn gweithio.

Mae'r fferm ym Mharc Cenedlaethol Eryri.

Ydy. Mae *perthynas* dda rhwng y Parc a'r ffermwyr. Dw i'n hoffi *delio â*'r cyhoedd sy'n dod drwy'r parc. Mae *llwybr cyhoeddus* 10 metr o'r tŷ ac mae'n braf cwrdd â phobl o bob gwlad *dan haul*.

cylchdro (g) – *cycle*
genedigaeth (b) – *birth*
bywyd cymunedol – *community life*
ein gilydd – *each other* (us)
ffafrau – *favours* (un. ffafr b)
yn lle – *instead of*
oriau – *hours* (un. awr b)
colledion – *losses* (un. colled b)
gwleidyddion – *politicians* (un. gwleidydd g)
cwsmeriaid – *customers* (un. cwsmer g)
gwerthfawrogi – *to appreciate*
perthynas (b) – *relationship*
delio â – *to deal with*
llwybr cyhoeddus (g) – *public footpath*
dan haul – *under the sun*

Sut dach chi'n gweld y fferm fynydd yn y dyfodol?

Mae ffermio'n *fusnes* modern iawn heddiw. Ond mi fydd rhaid newid yn y dyfodol, efallai. Mi fydd rhaid mynd nôl at ffermio *hunangynhaliol*, dw i'n credu. Mae bwyd lleol yn mynd i fod yn fwy pwysig.

Mi fydd mwy a mwy o *fentrau* lleol lle mae ffermwyr yn dod at ei gilydd i werthu eu cynnyrch.

Yn y dyfodol mi fydd y *cysylltiad* rhwng bwyd a'r amgylchedd yn bwysig iawn. Rŵan mae'r *llywodraeth* isio i ni *gynhyrchu llai* o fwyd. Ond yn y dyfodol, fydd dim digon o fwyd yn y byd. Wedyn, mi fydd pethau'n newid. Mi fydd y llywodraeth isio i'r ffermwyr gael mwy o fwyd o'r tir. **"**

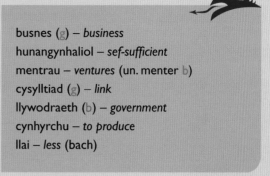

busnes (g) – *business*
hunangynhaliol – *sef-sufficient*
mentrau – *ventures* (un. menter b)
cysylltiad (g) – *link*
llywodraeth (b) – *government*
cynhyrchu – *to produce*
llai – *less* (bach)

Siawns am sgwrs?

Ydy bywyd ar fferm fynydd yn apelio atoch chi? Pam?

Be' dach chi'n feddwl o fentrau lleol?

Alun a'i ferch

Ffermwyr enwog – Dai Jones

Mae Dai Jones yn ffermwr enwog iawn! Mae o'n ffermio yn Llanilar, yn ymyl Aberystwyth. Mae'n cyflwyno'r rhaglen *Cefn Gwlad* ar S4C a rhaglen *Ar Eich Cais* ar Radio Cymru. Dyma *ffeithiau* diddorol amdano fo.

Mae Dai yn dod o Lundain yn wreiddiol.

Roedd siop a rownd lefrith gan ei rieni yno.

Pan oedd o'n fychan, mi aeth Dai i aros ar fferm ei *fodryb* a'i *ewythr* yng Ngheredigion. Roedd o *wrth ei fodd* yno. Mi benderfynodd aros i fyw efo nhw. Roedd o'n mynd nôl i weld ei rieni yn Llundain.

Mae gan Dai *lais* tenor hyfryd. Mi wnaeth o ennill y *Rhuban Glas* yn yr Eisteddfod Genedlaethol.

Yn y 1970au a'r 1980au, roedd Dai yn cyflwyno rhaglen o'r enw *Siôn a Siân* – 'Mr & Mrs' Cymraeg!

Mae gynno fo wartheg duon Cymreig a fo ydy *Llywydd* y Gymdeithas Gwartheg Duon Cymreig

Mae Dai yn *Gymrawd Prifysgol* Cymru. Hefyd, mi gafodd o wobr arbennig am ei *gyfraniad* i *amaethyddiaeth* gan y Tywysog Charles.

Ffermwyr enwog – Dic Jones

Dic Jones ydy *Archdderwydd* Cymru. Mae o'n byw ar fferm Hendre, Blaenannerch, yn ymyl Aberteifi. Mae o'n fardd ac yn ffermwr, ac yn *barddoni* wrth weithio!

Mi wnaeth o ennill cadair Eisteddfod yr Urdd *bum gwaith* yn ystod y 1950au. Hefyd, mi wnaeth o ennill cadair yr Eisteddfod Genedlaethol yn 1966. Enw ei *awdl* oedd 'Y Cynhaeaf'.

Mae mab Dic Jones, Brychan Llŷr, yn cyflwyno ar raglenni radio a theledu.

Dach chi'n medru aros ar fferm Dic Jones – mewn tipi! Mae gynnon nhw dri thipi mawr a lle i 20 – 25 o bobl.

ffeithiau – *facts* (un. ffaith b)	
modryb (b) – *aunt*	
ewythr (g) – *uncle*	
wrth ei fodd – *in his element*	
llais (g) – *voice*	
Rhuban Glas (g) – *Blue Ribbon*	
llywydd (g) – *president*	
cymrawd (g) – *fellow*	
prifysgol (b) – *university*	
cyfraniad (g) – *contribution*	
amaethyddiaeth (b) – *agriculture*	
Archdderwydd – *Archdruid*	
barddoni – *to compose poetry*	
bum gwaith – *five times*	
awdl (b) – *ode*	
englyn (g) – *a four-line verse in strict metre*	
deilen (b) – *leaf*	
grym (g) – *power*	
gwraidd – *roots* (un. gwreiddyn g)	
nawr = rŵan	
craig (b) – *rock*	
cragen (b) – *shell*	
bwrw (bwrw glaw) – *to rain*	
garw – *rough*	
ebe nhw – *so they say*	

Mae Dic Jones yn gallu cyfansoddi barddoniaeth mewn iaith syml. Dyma enghraifft o *englyn*:

Taid

Ei ddwylo fel dwy *ddeilen*, – y mae'r *grym*
O'r *gwraidd* wedi gorffen,
Mae 'nhaid *nawr* yn mynd yn hen,
Ddoe'n *graig* a heddiw'n *gragen*.

Mae o hefyd wedi ysgrifennu cwpledi am y tywydd, e.e.

Bwrw hwyr, bwrw *oriau*,
Glaw cyn deg a haul cyn dau.

Coch cynnar, tywydd *garw*,
Coch hwyr, heulwen, *ebe nhw*.

Siawns am sgwrs?

Oes diddordeb gynnoch chi yn yr Eisteddfod?

Dach chi wedi gweld un o raglenni Dai ar y teledu?

Ffermwyr enwog – Margiad Roberts

Mae Margiad Roberts yn dod yn wreiddiol o Garndolbenmaen yn ymyl Porthmadog. Mae hi'n wraig fferm ym Mhenrhyn Llŷn rŵan.

Mi wnaeth Margiad Roberts ennill y *Fedal Ryddiaith* yn 1987 am ysgrifennu *Sna'm llonydd i' ga'l*. Mae hi'n *disgrifio* bywyd prysur gwraig fferm. Mae'r llyfr yn ddoniol iawn.

Mae Margiad hefyd yn enwog fel *awdures* i blant. Mae ei *chyfres* am Tecwyn y Tractor yn boblogaidd iawn. Mae cyfres o raglenni Tecwyn y Tractor hefyd wedi bod ar y teledu.

y Fedal Ryddiaith – *the Prose Medal*
Sna'm llonydd i' ga'l – *There's no peace and quiet to be found*
disgrifio – *to describe*
awdures (b) – *authoress*
cyfres (b) – *series*

Mae Siân James yn dod o fferm Gardden yn Llanerfyl, Powys. Mae hi'n *gantores* enwog yng Nghymru a *thu hwnt*. Mae hi hefyd yn actio ac mae gynni hi dri o blant.

" *Pryd wnaethoch chi ddechrau canu?*
Mi wnes i ganu ar *lwyfan* am y tro cyntaf *pan o'n i'n* dair oed. Ro'n i'n cystadlu mewn eisteddfodau lleol. Mi wnes i ddechrau dysgu'r piano pan o'n i'n chwech oed, y feiolin pan o'n i'n wyth a'r delyn pan o'n i'n un ar ddeg. Pan o'n i'n bedair ar ddeg, mi wnes i ddechrau canu caneuon traddodiadol a *chyfeilio* i mi fy hun ar y delyn.

Be' oedd y cam nesaf?
Cyn hir, mi wnes i ddechrau *cyfansoddi* caneuon a threfnu caneuon *gwerin*. Mi es i i'r Brifysgol ym Mangor i astudio cerddoriaeth. Fy nhiwtor cyfansoddi oedd yr Athro William Mathias. Yn y coleg ro'n i'n canu efo grŵp gwerin roc.

Be' dach chi'n wneud rŵan?
Rŵan dw i'n gweithio fel cantores ac actores. Dw i wedi recordio sawl *cryno ddisg*: *Cysgodion Karma*, *Distaw*, *Gweini Tymor*, *Di-gwsg*, *Birdman*, *Pur*, *Y Ferch o Bedlam* a chryno ddisg o *hwiangerddi* i Mudiad Ysgolion Meithrin: *Adar ac Anifeiliaid*.

Hefyd, dw i'n *arwain* parti gwerin – Parti Cut Lloi. Mae llawer o ffermwyr lleol yn y parti ac maen nhw wedi gwneud cryno ddisg o gerddoriaeth werin a *charolau Plygain* o'r enw *Henffych Well*. **"**

cantores (b) – *female singer*	
tu hwnt – *beyond*	
llwyfan (g) – *stage*	
pan o'n i'n – *when I was*	
cyfeilio – *to accompany*	
cyn hir – *before long*	
cyfansoddi – *to compose*	
gwerin – *folk*	
cryno ddisg – *CD*	
cysgodion – *shadows (un. cysgod g)*	
hwiangerddi – *lullabies (un. hwiangerdd b)*	
arwain – *to conduct, lead*	
carolau Plygain – *traditional Welsh Christmas carols*	

Ffermwr o Gilcain yn ymyl yr Wyddgrug ydy Brynle Williams. Mae gynno fo ferlod a chobiau Cymreig. Mae o'n dangos ac yn *beirniadu* ceffylau mewn sioeau.

Mi ddaeth Brynle'n *amlwg* yng Nghymru yn 2000. Mi wnaeth o *drefnu* protest *yn erbyn* pris uchel petrol a diesel. Ers 2003, mae o'n *Aelod y Cynulliad* dros Ogledd Cymru. *Ceidwadwr* ydy o. Mae gynno fo ddiddordeb mewn gwella *gwasanaethau* cyhoeddus, ffermio, busnesau lleol a'r *diwylliant* Cymraeg.

beirniadu – *to adjudicate*
amlwg – *prominent*
trefnu – *to organise*
yn erbyn – *against*
Aelod y Cynulliad (g) – *Assembly Member*
Ceidwadwr – *Conservative*
gwasanaethau – *services*
(un. gwasanaeth g)
diwylliant (g) – *culture*

Siawns am sgwrs?

Pam mae'r bobl yma i gyd yn ddiddorol?

Dach chi'n gwylio rhaglenni Cymraeg ar y teledu, neu dach chi'n gwrando ar gerddoriaeth Gymraeg?

Be' dach chi wedi'i ddysgu am fyw yn y wlad?